Chers amis rong
bienvenue dans le n

Geronimo Stilton

www.geronimostilton.com

Texte de Geronimo Stilton
Illustrations de Matt Wolf
Maquette de Margarita Gingermouse
Traduction de Titi Plumederat

Les noms, personnages et intrigues de Geronimo Stilton sont déposés. Geronimo Stilton est une marque commerciale, propriété exclusive des Éditions Piemme S.P.A. Tous droits réservés.

Pour l'édition originale :
© 2000 Edizioni Piemme S.P.A. Via del Carmine, 5 – 15033 Casale Monferrato (AL) – Italie, sous le titre
Una granita di mosche per il conte.
Pour l'édition française :
© 2003 Albin Michel Jeunesse – 22, rue Huyghens – 75014 Paris – www.albin-michel.fr
Loi 49 956 du 16 juillet 1949 sur les publications destinées à la jeunesse
Dépôt légal : second semestre 2003
N° d'édition : 14978/10
ISBN 13 : 978 2 226 14039 5
Imprimé en France par l'imprimerie Clerc à Saint-Amand-Montrond en octobre 2008

Geronimo Stilton

Un sorbet aux mouches pour Monsieur le Comte

ALBIN MICHEL JEUNESSE

GERONIMO STILTON
SOURIS INTELLECTUELLE,
DIRECTEUR DE *L'ÉCHO DU RONGEUR*

TÉA STILTON
SPORTIVE ET DYNAMIQUE,
ENVOYÉE SPÉCIALE DE *L'ÉCHO DU RONGEUR*

TRAQUENARD STILTON
INSUPPORTABLE ET FARCEUR,
COUSIN DE GERONIMO

BENJAMIN STILTON
TENDRE ET AFFECTUEUX,
NEVEU DE GERONIMO

QUELLE NUIT, CETTE NUIT-LÀ !

Quelle nuit, cette nuit-là ! On était en novembre, et il régnait un froid de félin. Bien au chaud sous mes couvertures, je lisais des histoires de fantômes en écoutant la pluie tambouriner aux carreaux, quand, soudain, une fenêtre s'ouvrit toute seule. Le vent gonfla les rideaux comme le drap d'un fantôme.

fuuuuiiiiiccchhh !

– SCOUIIITT ! Je bondis hors de mon lit, tout tremblant.

Je pressai mon museau contre la vitre et je regardai au-dehors : **QUELLE NUIT, CETTE NUIT-LA !** C'est alors que...

– Driiiing !

Qui pouvait bien téléphoner à une heure pareille ? Je jetai un coup d'œil à ma montre : minuit moins cinq.

Dring !

Dring !

Dring !

Le téléphone continuait de sonner avec insistance.
– **Dring, dring, dring !**
– Allô ! Allô, qui est à l'appareil ?
– *Allôôô ??? Geronimooo ???* a fait une voix très lointaine.
– Oui, c'est moi. Je suis Geronimo, Geronimo Stilton ! je criai.
Puis il me sembla reconnaître la voix de mon cousin.
– C'est toi, Traquenard ? Où es-tu ? D'où appelles-tu ?
– *Je suis en Trans...*
– Quoi ?
– ***Trans... sourisiiie !***
– Transourisie ? Mais qu'est-ce que tu fais là-bas ?
– *... château... comte... Sourizek... viens tout de suite...*
– Allô, Traquenard ? Traquenard ! Que se passe-t-il ? Réponds...

À PORTÉE
DE PATTE

J'appelai aussitôt ma sœur Téa :
– Traquenard vient de me téléphoner : il aurait
des ennuis que ça ne m'étonnerait pas.
– Et tu me réveilles pour si peu ? dit-elle en
bâillant.

– Il appelait de loin, je crois qu'il est en Transourisie.

Elle changea brusquement de ton :

– En *Transourisie ? Tu as bien dit* TRANSOURISIE ? Traquenard appelait de *Transourisie* ? Mais ça change tout ! Il faut aller le chercher ! **Et vite ! Tout de suite ! Sur-le-champ !** Tiens, justement, j'ai les horaires des trains à portée de patte.

– Mais pourquoi ? Est-ce que c'est vraiment... bredouillai-je, déconcerté.

Elle soupira :

– Ton malheureux cousin s'est fourré dans les ennuis jusqu'au cou et tu restes les pattes croisées ? Tu as vraiment un cœur de glace, ou de pierre même, tu es égoïste, insensible, tu me déçois, tu devrais avoir *HONTE !*

– Euuuh, dis-je, enfin, bon, peut-être que...

– Alors c'est décidé : nous partons demain à six heures trente. On se retrouve à la gare. Bonne nuit !

QUAND LE CHAT N'EST PAS LÀ...

Dès six heures, j'étais à la gare, fin prêt. J'avais écouté la météo :
– Ciel bleu sur toute l'île...

comme d'habitude,

Brouillard, en Transourisie !

Pourquoi, pourquoi, mais pourquoi mon cousin était-il allé se perdre dans la région la plus froide de l'île ? La plus froide et la plus mystérieuse, avec toutes ces légendes sur les châteaux hantés ! Téa arriva, très élégante dans sa fourrure de chat synthétique, avec son bonnet à poils assorti.
– Ohé, frérot ! Comment ça va ?

Dès six heures, j'étais à la gare, fin prêt.

– **Fort mal !** bougonnai-je d'un ton sombre, en pensant à la rédaction de mon journal, l'*Écho du Rongeur*. Qu'est-ce qu'ils vont bien pouvoir inventer, encore, en mon absence ?

Quand le chat n'est pas là, les souris dansent !

Téa me fit un clin d'œil.

– Oh, tu exagères !

– Je te rappelle que je suis directeur d'un grand quotidien ! répondis-je. Si je ne suis pas là, qui va veiller à ce que l'*Écho du Rongeur* sorte bien ?

– Allez, la rédaction peut se passer de toi. Elle travaillera mieux, même ! ricana Téa, qui est l'envoyée spéciale de mon journal. À propos, frérot, il faut que je te dise… euh, tu connais la *Gazette du Rat* ? demanda-t-elle d'un air sournois.

– LA GAZETTE DU RAT ???

répondis-je, irrité. Quoi, ces journalistes à la noix, ces têtes de **REBLOCHON**, ces rats d'égout ? Que leur queue soit hachée menu, que leurs dents s'effritent, qu'ils soient dévorés tout crus par des chats ! Leur journal est à peine bon à emballer le poisson.

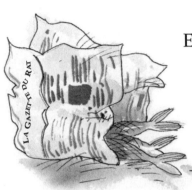

Et encore... le poisson **pourri** ! Ces gars-là sont prêts à tout pour obtenir un scoop. Au fait, tu disais ?

– Eh bien, tu sais que **l'horreur** est à la mode en ce moment, les spectres, les fantômes, les vampires, tout ça... J'ai donc eu l'idée d'un scoop : un reportage exclusif sur les châteaux de Transourisie. J'ai déjà vendu mon article, on me l'a bien payé, très bien même, super bien !

– **QUOI** ? hurlai-je. Et à qui as-tu vendu ton reportage ?

– Euh, à la *Gazette du Rat*...

– **QUOiii** ? Tu travailles pour la concurrence, maintenant ?

– Mais non, je plaisantais ! Mais ce grand reportage sur la Transourisie, tu ne pourrais pas le publier, toi ?

PAROLE
DE RONGEUR

C'est alors qu'on entendit un grincement.
D'un bond, ma sœur se plaça devant moi.
– Qu'est-ce que c'est ? Qu'est-ce que tu manigances ?
– Rien, rien, comme tu es méfiant !
Je fis un pas à gauche, mais Téa
m'avait déjà précédé. Un pas à
droite, mais elle me devança
de nouveau.
Ça suffit ! Qu'y a-t-il là-dedans ?
Téa soupira, en lissant sa
fourrure :
– Oh, ça, ce n'est qu'une malle.
Au même moment, la malle
tressauta comme si elle était
vivante, puis s'ouvrit. Deux
petites oreilles en surgirent.

C'était Benjamin, mon neveu.

– Salut, tonton Gerry !

– Qu'est-ce que Benjamin fait là-dedans ?
m'écriai-je. On ne peut pas emmener un aussi
petit souriceau en **TRANSOURISIE** !
– Je ne suis pas petit ! J'ai bientôt neuf ans !
glapit mon neveu. Et puis tante Téa a dit que je
lui serais utile. Elle a besoin d'un secrétaire pour
faire ses commissions, pour porter sa malle…
– Non, non et non ! Jamais de la vie ! Il n'en est
pas question ! Parole de rongeur, pour une fois,
vous allez faire ce que j'ai décidé. Ou je ne
m'appelle plus *Geronimo Stilton* !

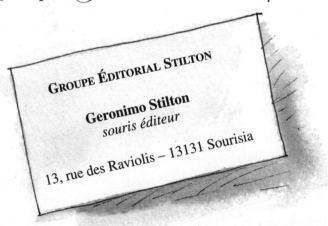

GROUPE ÉDITORIAL STILTON

Geronimo Stilton
souris éditeur

13, rue des Raviolis – 13131 Sourisia

GARE
DE SOURIZEK...

Dix minutes plus tard, nous étions assis tous les trois sur la banquette d'un compartiment, et le train nous emmenait au loin.

– **Grrr...** grognai-je.

Ma sœur, elle, était d'excellente humeur. Elle lisait à haute voix un guide touristique de Transourisie : « Perdu dans le **brouillard** transourisique, au sommet d'un pic inaccessible, le château de Sourizek est auréolé **d'une brume de mystère...** »

Benjamin s'était glissé sous mon manteau.

– **BRRR, QUEL FROID !** Mais ce n'est pas grave, je suis si content de partir en voyage avec toi, oncle Geronimo ! chicotait-il, ravi.

Je caressai affectueusement ses petites oreilles.

Benjamin est mon neveu préféré…

Plus les heures passaient, plus le paysage s'assombrissait. Le train, bondé au départ, se vida lentement. Et quand il entra en gare de Sourizek, il ne restait plus que nous.

Une voix rauque résonna dans le brouillard :

– Sourizeek ! Gare de Sourizeek ! Tout le monde descend !

Sourizeek ! Gare de Sourizeek ! Sourizeek ! Gare de Sourizeek ! Sourizeek ! Gare de Sourizeek ! Sourizeek ! Gare de Sourizeek !

AIL, AIL, AIL

– S'il vous plaît, le château de Sourizek ? demandai-je à un passant, un grand rat maigre vêtu d'une houppelande de velours gris. Il me fixa, les yeux écarquillés, serra fort le collier d'ails qu'il portait autour du cou et s'enfonça dans le brouillard sans dire un mot.

Ma sœur haussa les épaules.

– Laisse-moi demander. Tu ne sais pas y faire !

Elle s'adressa à une paysanne :

– Excusez-moi, pouvez-vous nous indiquer où se trouve le château du comte Vlad Von Sourizek ?

– **Hiiiiiiiiiiiiiii !**

s'écria la paysanne.

Et elle prit ses pattes à son cou en agitant un bracelet de gousses d'ail. Nous entrâmes dans une boutique de souvenirs en face de la gare. Dans la vitrine, une tasse en forme de tête de mort, un plumier cercueil, des cartes postales portant la légende

« Un bonjour de Transourisie ».

Le rongeur qui se tenait derrière le comptoir nous dévisageait avec curiosité.

– S'il vous plaît, pouvez-vous nous indiquer la route du **CHÂTEAU**...

– Ouiii ?

– ... **DU COMTE**...

– Ouiii ?

– ... **Von Sourizek ?**

À ce dernier mot, il écarquilla les yeux. Il attrapa la première tresse d'ail qui lui tomba sous la patte, se la passa autour du cou et nous indiqua la porte.

– Malotru ! glapit Téa. C'est charmant, cette manière d'accueillir les touristes. Vous pouvez vous les garder, vos souvenirs !

Après quoi, le commerçant abaissa précipitamment son rideau de fer.

Nous passâmes devant un restaurant.

– Soufflé à l'ail, brochettes d'ails, tarte à l'ail : drôle de menu !

Le patron s'avança.

– Désirez-vous dîner, messieurs dames ? souffla-t-il.

– Nooon, merci ! répondis-je. Pourriez-vous nous indiquer le château de Sourizek ?

Le patron attrapa un flacon et le vida d'un trait : à en juger par l'odeur, ce devait être du jus d'ail.

– **Scouiiit !** hurla-t-il en nous claquant la porte au museau.

Pourquoi les habitants de Sourizek consommaient-ils autant d'ail ? Je **FRÉMIS**. Il paraît que l'ail sert à éloigner les vampires…

QUI VOLE
DANS LA NUIT NOIRE ?

On ne voyait pas plus loin que le bout de son museau. Un brouillard grisâtre, humide, poisseux nous enveloppait. La **nuit** était tombée, une nuit sans lune et sans étoiles. Soudain, un éclair déchira le ciel noir.

– Voici le château ! s'écria Benjamin.
Il se dressait devant nous, avec ses tourelles
pointues.
– Ça mérite une photo ! cria Téa, ravie, en
sortant son appareil.
Au même instant, nous entendîmes un bruit.
Une drôle de voiture à vapeur montait en jetant
des bouffées de fumée. À son volant, une souris
bossue, toute de noir vêtue, avec une capuche
abaissée jusqu'à la pointe du museau,
chantonnait sans détacher les mots les uns des
autres :

QUIVOLESURLACHAUVESOURIS ?

C'ESTLESECRETDESESPRITS.

C'ESTLESECRETDESESPRITS.

QUIVOLEDANSLANUITNOIRE ?

OHJ'AIPEUR, JENEVEUXPASVOIR !

Le véhicule, qui roulait à **TOMBEAU OUVERT**, était constitué d'un châssis de métal sur lequel était montée une chaudière de cuivre, reliée à des tubes de tous diamètres.

De temps à autre, le conducteur tirait sur une chaîne, et un nuage de fumée sortait du plus gros tube : chaque fois, la souris toussait à s'en étrangler.

Pour ne pas être vus, et surtout pour ne pas être **écrasés** par ce fou du volant, nous plongeâmes dans les buissons épineux qui bordaient la route.

– **Hi hi hi !** ricanait le conducteur en carillonnant à toute volée.

Nous poursuivîmes notre marche vers le château, mais une demi-heure plus tard...

– **Regardez ! Là-haut, regardez !**

Une drôle de voiture à vapeur montait en jetant des bouffées de fumée…

Une silhouette noire volant en ligne droite venait de se découper sur le ciel embrumé. Elle avait la forme d'une

chauve-souris,

d'une chauve-souris géante, et ses ailes mesuraient au moins trente queues d'envergure !

L'objet volant non identifié semblait provenir du château et se diriger vers le village. Il passa au-dessus de nos têtes et, en une fraction de seconde, s'enfonça dans un nuage.

– Qu'est-ce que c'était ? demanda Benjamin, effrayé.

– Je ne sais pas, répondit Téa. Mais j'ai eu le temps de le prendre en photo, conclut-elle, satisfaite.

Des glaçons plein les moustaches

Il nous fallut trois heures pour gagner le sommet. Le château était hérissé de tourelles dont les pointes se perdaient dans le brouillard.

— Tu as des glaçons qui pendent à tes moustaches !
me dit ma sœur.

QUEL FROID !

Benjamin s'était glissé sous mon manteau, on ne voyait plus que sa queue. Nous fîmes le tour des murailles, à la recherche de l'entrée ; je découvris bientôt, dans le fossé, un gros tuyau à embouchure cylindrique.

J'appelai mes compagnons :

– Par ici ! Je crois avoir trouvé un passage !

Rapides comme des rats, nous entrâmes l'un derrière l'autre. Je reniflai.

– À mon avis, ce sont les égouts du château !

Je regardai autour de moi : les murs suintaient, et les gouttes d'eau s'écrasaient à terre avec un bruit sourd. En nous tenant par la patte, nous nous acheminâmes vers la sortie du tunnel fermé par une plaque de fer.

QUELLE PIMBÊCHE !

Nous débouchâmes dans la cour du château. Soudain, nous entendîmes carillonner.

– **VOILÀVOILÀJ'ARRIVEMAÎTRE** ! cria une drôle de voix nasale sans marquer de pause entre les mots. C'était le rongeur que nous avions rencontré sur la route.

– **OUIJ'ARRIVEJ'ARRIVEUNEMINUTE** ! tempêta-t-il en dévalant les marches quatre à quatre.

On aurait dit une boule qui rebondissait dans l'escalier : il était **petit**, ou plutôt voûté, **gras**, ou plutôt **rond** ; il avait la tête enfoncée dans les épaules, comme s'il n'avait pas de cou ; il avait des yeux comme des **BILLES** et une queue tordue.

Pour tout
arranger, il
avait une oreille
déchiquetée,
comme si un chat y
avait laissé la marque de
ses crocs. À l'autre oreille,
il portait un **anneau en
argent**.

D'un bond, le bossu s'accrocha à
la clef de la porte et la tourna dans la serrure.

– **BIENVENUEAUCHÂTEAUMAÎTRE !**
grommela-t-il en s'inclinant jusqu'à ce que ses

moustaches
balaient le pavé.
La porte s'ouvrit
en grand, et un indi-
vidu **plus
étrange encore**
fit son entrée.
Grand et maigre, le
museau émacié, il portait
une cape pourpre qui
descendait jusqu'à terre.
Ses yeux brillaient d'un éclat
mélancolique et il avait les moustaches

tombantes, comme s'il n'avait pas ri depuis des siècles.

Derrière lui trottait une petite **souris blonde**, vêtue d'une cape de **soie écarlate**.

– As-tu pensé à me préparer un bain chaud ? couina-t-elle en se tournant vers le bossu.

– **UNBAINCHAUD ? QUELBAINCHAUD ?** répondit-il, et on aurait dit qu'il riait dans ses moustaches.

– On ne m'écoute jamais dans cette maison ! Si seulement j'avais une femme de chambre ! On n'a jamais vu ça, une comtesse sans femme de chambre ! se plaignit-elle, puis elle se dirigea vers le grand escalier en faisant voleter sa cape de soie.

Téa murmura :

– *Quelle pimbêche !*

GONNNGGG !
GONNNGGG !

Nous les suivîmes en douce à l'intérieur du château : le bossu nous précéda dans la salle à manger où tout était prêt pour le dîner.

Il prit une casserole de soupe et essaya de remuer avec la cuillère. Mais la soupe était si épaisse que la cuillère resta attachée au fond.

– AHÇA ! PARMILLESALAMANDRESSOUS LACENDRE ! cria le bossu, et il tira de toutes ses forces sur le manche.

La cuillère se détacha d'un coup avec un bruit de *VENTOUSE* et alla s'écraser contre le mur où elle resta collée. Le bossu réfléchit d'un air songeur, ricana dans ses moustaches et se hâta de servir la soupe. Au passage, il sautilla vers un énorme **GONG** et lui asséna un coup de mailloche.

GONNNGGG ! GONNNGGG !

GONNNGGG !
GONNNGGG !

Le comte et la comtesse étaient assis aux deux extrémités d'une interminable table. Le bossu courait d'un bout à l'autre pour servir ses maîtres. Je notai avec effroi qu'il versait dans les verres de cristal un ÉPAIS LIQUIDE ROUGE.

JE FRÉMIS.

– C'est délicieux ! Rien n'est plus exquis ! disait la comtesse.

Elle essuya ses moustaches à sa serviette, y laissant des marques ROUGE SANG.

Je dus m'appuyer au mur pour ne pas défaillir : la vue du SANG... me fait tourner de l'œil... Il suffit même que j'entende le mot *sang* pour m'évanouir !

Pauvre Traquenard !

– Profitons de ce qu'ils sont à table pour explorer le château, murmurai-je.
Les couloirs sombres n'étaient éclairés que par la chiche lueur des torches. Toutes ces armures qui montaient la garde dans des salles désertes !

Et toutes
ces toiles
d'araignée !
Partout, une
couche de poussière
épaisse comme le doigt
recouvrait meubles et tableaux.
– Pauvre tonton Traquenard !
SNIFF ! Qu'est-ce qui a bien pu lui arri-
ver ? sanglotait Benjamin en se mouchant.
Téa prenait des photos en rafale.
– **Superbes, ces toiles d'araignée.**
Ça va être un scoop au poil ! Il faut que je
trouve un titre. Que diriez-vous de…
SANG EN TRANSOURISIE ?
– Sois gentille, ne prononce pas **ce mot**, le mot
SANG ! chuchotai-je en blêmissant.
Soudain, les torches projetèrent une ombre sur
le dallage…

TRIP
VON TRAKEN

Le fantôme d'une souris, blanche jusqu'à la pointe des moustaches, se matérialisa devant nous. Puis il nous fit un clin d'œil.

– Ohé, les cousins ! Comme on se retrouve !

– Traquenard ! criâmes-nous. **Tu es vivant ?**

– Vivant et bien vivant ! Pourquoi ? Je suis censé être mort ?

Puis il soupira en soulevant un nuage de poussière blanche :

– J'essayais d'attraper un sac de farine sur une étagère, et **PFUIT...**

Quand je me fus remis de mes émotions, je balbutiai :

– Mais, Traquenard, et ton coup de téléphone ? Nous nous sommes tellement inquiétés pour toi !

– Quel coup de téléphone ? Ah, oui… je faisais frire des criquets ou plutôt je mixais des moucherons mais ça je te l'expliquerai plus tard sinon tu ne comprendras rien donc j'éminçais une **ARAIGNÉE GÉANTE** non en fait c'était une **CHENILLE POILUE** et je préparais un bouillon de mouches et un *coulis de puces* quand machin est entré je veux dire l'autre et il me dit Traquenard pourquoi n'as-tu pas encore mis les fourmis rouges à bouillir et moi je lui réponds qu'est-ce que ça peut te faire de toute façon c'est prêt dans cinq minutes la cuisine ça me connaît d'ailleurs je m'y connais en tout mais en cuisine je suis vraiment un chef en toute m o d e s t i e des pizzas comme les miennes on n'en mange nulle part et alors je lui ai dit une bonne pizza aux moustiques vous avez déjà pensé à ça hein vous avez déjà pensé à ça eh non et je vais vous dire pourquoi c'est parce que je suis plus malin que vous et à propos est-ce que je t'ai déjà raconté que...

– **Stoooop !** lui intima Téa. Alors, ce coup de téléphone ?

– Ah, oui, donc tout en téléphonant, j'avais oublié sur le feu les **filets de cafards** que le comte aime *SAIGNANTS...*

– Ne parle pas de *SANG !* le coupai-je. Et puis qu'est-ce que c'est que tous ces plats dégoûtants ?

Il glissa les pouces sous ses bretelles et s'exclama d'un ton solennel :

– Je vous expliquerai plus tard. Pour l'instant, j'ai une nouvelle *sensationnelle !* à vous annoncer ! Avez-vous vu, à la télévision, la publicité de cette agence qui dresse les **ARBRES GÉNIALOÏDES ?**

– Les **arbres généalogiques** ! le repris-je. Traquenard baissa la voix :

– Voilà dix jours, j'ai appelé l'agence. Et devinez ce que j'ai découvert ! Hein ? Devinez !

– Je ne sais pas, soupirai-je. Et je ne suis même pas sûr d'avoir envie de savoir.

– Il s'avère que je descends (probablement) de la très noble famille des **Von Traken** de Transourisie ! J'aurais du **SANG BLEU**, rien que ça ! conclut mon cousin.

– Ne prononce pas *ce mot,* je t'en supplie ! Changeons de sujet… murmurai-je.

– Oh, ça se voit que nous ne sommes pas du même monde ! Du reste, bon **SANG** ne peut mentir !

– Assez de **SANG !** criai-je.

– Enfin, tu n'y es pour rien si ce n'est pas du **SANG** noble qui coule dans tes veines ! ajouta-t-il.

– Je ne veux plus entendre **CE MOT** ! De toute façon, ne sommes-nous pas cousins ? Si tu es noble, je le suis aussi !

– Ça, c'est à voir ! cria Traquenard. Ne te monte pas la tête ! Quoi qu'il en soit, j'ai voulu rechercher sur place les preuves de mes origines : il paraît que, dans ce château, il y a plusieurs siècles vivait un de mes *ascenseurs* !

Je soupirai.

– Tu veux dire un de tes *ascendants* ?

– Voilà, c'est ça, c'est comme tu dis. Il s'appelait **Trip Von Traken** ! précisa-t-il, d'un air rêveur.

LAISSEZ-MOI
M'ÉVANOUIR EN PAIX !

– Mais comment t'es-tu débrouillé pour te faire inviter par le comte Sourizek ? demanda Téa.
Mon cousin ricana :
– **Hé hé hé,** il n'est pas au courant de mes recherches. Je me suis fait embaucher comme cuisinier. Au fait, dans deux jours, il y a un grand bal au château. Il faut que je réfléchisse au menu. Le comte et sa nièce ont des goûts bizarres. Ils détestent l'ail, mais adorent les plats à base d'insectes ! Tant mieux pour eux...
Traquenard prit un air songeur.
– Je vais préparer une tourte aux *SANGSUES* au *SANG*, avec des *SANGUINES* en accompagnement et une sauce *SANGUINAIRE*. Mais

je te trouve bien pâlot, cousin. Tu devrais manger un bon bifteck **SAIGNANT !**

– **Pitié...** murmurai-je en m'affaissant.

– Mais tu es de plus en plus pâle, Geronimo ! Tu es vraiment **EXSANGUE.**

– Ne me parle plus de *sang* ! Tu ne comprends donc pas que je ne supporte pas ça ? balbutiai-je.

– Ne te ronge pas les **SANGS**, Geronimo ! Ne te fais pas de mauvais **SANG,** ça n'en vaut pas la peine. Ris plutôt un bon coup, paie-toi une pinte de bon **SANG**. Et, surtout, garde ton **SANG** froid !

– **Grrr !** marmonnai-je. Si tu ne te tais pas, je te mords les oreilles...

– ... **JUSQU'AU SANG ?** demanda mon cousin, complétant ma phrase.

La tête me tournait.

– Geronimo ! Respire à fond ! dit Téa en me donnant une petite tape pour me ranimer.

– Oui, respire à fond, Geronimo ! cria mon cousin, en m'assénant une claque sur l'autre joue.

Je chancelai.

– **Il est en train de s'évanouir !**
s'écria Traquenard en me donnant une paire de baffes symétriques, une à droite, une à gauche.

– Je vais très bien ! Ne vous dérangez pas ! Laissez-moi m'évanouir en paix, s'il vous plaît…

AH,
ESTRELLA...

Traquenard regarda sa montre.

– Il est tard. Je dois me dépêcher. Le comte est très à cheval sur la ponctualité.

– Vlad Von Sourizek : drôle de type ! remarqua Téa tout en photographiant les pièces qui donnaient sur le couloir.

– Il est tellement sympathique ! Et avez-vous vu sa nièce, la comtesse Estrella ? soupira mon cousin, d'un air rêveur, une patte sur le cœur. Ah, Estrella, son prénom sonne comme une douce mélodie. Hélas, elle est déjà fiancée, avec un certain Nezutus Van der Nezen, un rat falot, insignifiant... Au fait, quel est votre programme ? Vous voulez rester ou repartir ?

– Comment cela ? Tu ne repars pas avec nous ?

– On est très bien, ici. Rien ne vaut de belles vacances en Transourisie !

– Tu plaisantes ? C'est un endroit qui donne la chair de poule !

protestai-je.

Mon cousin ricana :

– C'est génial, ici. C'est gé...

Tout en parlant, il s'était adossé à une bibliothèque : la cloison tourna sur elle-même et mon cousin disparut !

– Traquenard ! criâmes-nous. Mais personne ne répondit.

– C'est sûrement un passage secret, dis-je.

Au même moment, nous entendîmes des pas.

– **VITE, CACHONS-NOUS !**

Nous nous aplatîmes derrière un meuble. Il était temps ! Le comte et la comtesse s'avançaient dans le couloir sombre, précédés du bossu qui brandissait un chandelier d'argent.

Le comte et la comtesse s'avançaient dans le couloir…

– Il faut un majordome et un valet pour le bal, demain soir. Et moi, j'ai besoin d'une femme de chambre ! Qu'en pensez-vous, mon oncle ? chicotait la petite comtesse.

Le comte ne répondit pas : il marchait d'un air sombre, enveloppé dans sa cape jusqu'au bout du museau.

– C'est bientôt l'aube, reprit-elle en bâillant. Je vous souhaite une bonne nuit, mon oncle ! dit-elle en refermant la porte de sa chambre derrière elle. **Von Sourizek** et le bossu disparurent au bout du couloir.

– **J'ai une idée !** dit Benjamin. Ils cherchent un majordome, un valet et une femme de chambre...

– Bravo, petit ! couinai-je en lui caressant les oreilles. On va se faire embaucher !

– **QUOI ?** Je suis venue ici pour rapporter un **scoop**, pas pour repriser les petites culottes de cette mijaurée, protesta Téa, mais en vain.

UNE CAPE
DE SOIE ÉCARLATE

Nous sortîmes du château par les égouts et, le lendemain soir, à huit heures, nous nous présentâmes à la porte. Nous frappâmes : le bossu vint nous ouvrir.

– **QU'ESTCEQUEVOUSVOULEZ ?** bredouilla-t-il d'une voix nasale.

Je m'efforçai de prendre un ton professionnel.

– Auriez-vous besoin de domestiques ?

Le nain rit dans ses moustaches et entrouvrit la porte.

– **JEVAISDEMANDERÀLACOMTESSE ! ATTENDEZ-ICIDANSL'ENTRÉE !**

Quelques secondes plus tard, j'entendis un bruissement.

Je me retournai :

la comtesse était déjà là !

– Comment a-t-elle fait pour arriver aussi vite ? chuchota Téa, perplexe.

Estrella nous examina d'un œil critique, mais son inspection parut la satisfaire.

– Vous deux, allez passer la livrée à la lingerie. Toi, suis-moi, tu vas repasser mon manteau, recoudre l'ourlet de ma cape de soie écarlate, friser et poudrer ma perruque, astiquer les boucles de mes escarpins de soie et... TU auras mille choses à faire avant le bal !

Elle fit un geste dédaigneux à Téa et se dirigea vers sa chambre.

Ma sœur me foudroya du regard.

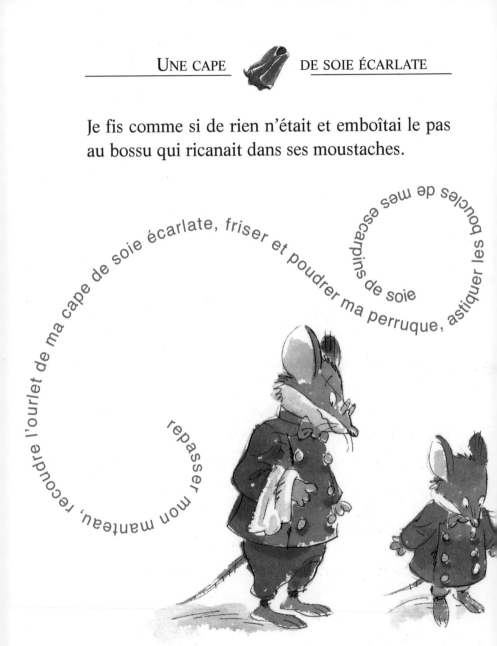

Je fis comme si de rien n'était et emboîtai le pas au bossu qui ricanait dans ses moustaches.

repasser mon manteau, recoudre l'ourlet de ma cape de soie écarlate, friser et poudrer ma perruque, astiquer les boucles de mes escarpins de soie

DOUZE
COUPS

Le bossu indiqua une armoire.

– **VOUSTROUVEREZLESLIVRÉESLÀDEDANS…**
SIVOUSAVEZBESOIND'AUTRECHOSEDEMANDEZ-
MOI !

    – Bien, monsieur… quel est votre nom ?

    – **ILFAITPASCHAUDCESOIR !** couina-t-il.

    – C'est bien vrai, il ne fait vraiment pas
chaud. Euh, et comment vous
appelez-vous au juste ?

    – **ILFAITPASCHAUDCESOIR !**
ILFAITPASCHAUDCESOIR !

Je poursuivis :

– Certes, il fait même assez
froid ! Mais comment
vous appelez-vous,
je vous prie ?

– **ILFAITPASCHAUDCESOIR ! C'ESTMONNOM :
ILFAITPASCHAUDCESOIR !** répéta-t-il en trépi-
gnant, exaspéré.

Benjamin fut le premier à comprendre :

– D'accord, monsieur **ILFAITPASCHAUDCESOIR**,
nous allons passer nos livrées et nous mettre au
travail sans tarder !

Le bossu sautilla jusqu'à la porte.

– Devons-nous enlever les toiles d'araignée ?
demandai-je.

– **ONNETOUCHEPASAUXTOILESD'ARAIGNÉE !**
s'écria-t-il, furieux. **ELLESSONTDUDIXHUITIÈME-
SIÈCLE !**

– Nous ne faisons pas la poussière, non plus ?

– **NOOON ! C'ESTDELAPOUSSIÈRECLASSÉE-
MONUMENTHISTORIQUE !**

– Alors peut-être devons-nous astiquer l'argen-
terie ?

Le bossu bondit, horrifié.

– **ASTIQUER ? SURTOUTPAS ! JEVOUSCOUPELES-
PATTESSIVOUSVOUSYRISQUEZ !**

– Mais, dans ce cas,
que devons-nous faire ?
– **DESCENDEZAUX-
CUISINESAIDERLE-
NOUVEAUCHEF !**
Puis il s'éloigna en
caressant du regard
les toiles d'araignée qui
pendaient du plafond et
en murmurant dans ses moustaches :
– **LESVANDALES !
JELESAIARRÊTÉSÀTEMPS !**
C'est alors qu'une horloge
sonna les heures :

Ding Ding Ding
Ding Ding Ding
Ding Ding Ding
Ding

J'avais compté **12** coups.
– Minuit ! Brrrrr, c'est l'heure des fantômes !
murmura Benjamin, en me prenant la patte.

ROUGE CERISE OU ROUGE FRAISE ?

Nous longeâmes le couloir désert. Soudain nous entendîmes un bourdonnement qui provenait du donjon.

– On dirait le bruit d'un moteur ! dis-je en appuyant l'oreille sur la porte qui conduisait à la tour.

Le bruit augmenta, puis diminua peu à peu et finit par s'éteindre. À ce moment, nous distinguâmes des voix qui sortaient d'une pièce donnant sur le couloir.

Je reconnus la voix de la comtesse Estrella.

– Tu as finis de repasser ma robe ? Pas encore ? Attention ! ATTENTIOOOON ! TU VAS LA BRÛLER !

J'entendis Téa soupirer, puis la comtesse reprit :

– Tu vas brosser mon pelage. Doucement, tu tires mes boucles. *Un peu de délicatesse, bon sang !* J'ai fait tomber mon mouchoir, ramasse-le !

Un silence suivit.

– Bien, maintenant, tu vas me mettre du vernis à ongles rouge. Puis tu me friseras les moustaches et tu les poudreras avec la poudre dorée.

Je l'entendis soupirer.

– Quelle cape vais-je mettre : la **rouge cerise**, la **rouge fraise** ou la **rouge tomate** ? Qu'en penses-tu ? Oh, dc toute façon, je m'en moque, c'est moi qui décide !

Alors la comtesse s'écria, excédée :

Le comte Nezutus Van der Nezen

– Quoi ? Tu n'as toujours pas mis dans un vase les trente-quatre douzaines de roses rouges que m'a envoyées mon fiancé, le comte Nezutus Van der Nezen ?

Puis elle soupira :

– Ah, Nezutus ! Le pauvre, il est bien gentil, mais si ennuyeux...

Enfin, je l'entendis crier :

— Arrêêêête ! Ne me touche pas ! N'enlève pas ma cape ! Je me débrouillerai toute seule !

Je perçus des pas : quelqu'un sortit et referma la porte. C'était ma sœur !

— Alors ? Tu as découvert quelque chose ? chuchotai-je.

— Hummm, il y a quelque chose d'étrange. Elle se fait servir pour tout, mais elle ne veut pas que je l'aide à se déshabiller. Elle ne quitte jamais cette cape qui lui arrive aux pattes. Va savoir ce qu'elle cache dessous... J'ai remarqué autre chose : je la retrouve toujours derrière moi, elle se déplace à toute vitesse, sans bruit. Quoi qu'il en soit, elle est vraiment insupportable ! conclut ma sœur, fâchée.

— Oui, mais elle est très jolie, dis-je timidement.

— En effet, elle est vraiment jolie, répéta Benjamin.

– Ah bon ? Je ne vois vraiment pas ce que vous lui trouvez. Elle a un gros nez.

– Elle a des yeux ravissants, reprit Benjamin d'un air songeur.

Téa le foudroya.

– Pourquoi ne vas-tu pas lui mettre son vernis à ongles, dans ce cas ? À propos, elle a des ongles acérés comme des griffes ! Si elle te caresse le museau, elle te le taillade jusqu'au **SANG !**

– Je t'en prie, pas **ce mot**... dis-je en frissonnant.

– Quel mot ? **SANG ?** clama ma sœur bien fort.

– Ma parole, tu le fais exprès ! m'écriai-je à mon tour.

Benjamin me tira par une patte.

– Tenez, voilà la chambre du comte. La porte est ouverte !

LA PORTE
ROUGE

– On entre ? murmura Téa en sortant son appareil photo de la poche de son tablier.

Elle prit une photo panoramique du couloir, où étaient accrochés des portraits d'ancêtres. Puis un gros plan de la porte, tapissée de **velours rouge**.

– Tu ne devais pas repasser la robe de la comtesse ? Téa ricana.

– Je lui repasserais volontiers les oreilles, à celle-là ! Dès qu'on aura retrouvé Traquenard, je lui règlerai son compte !

Nous entrouvrîmes la porte. Les murs de la chambre étaient tendus de **velours rouge**, rouge était le tapis sur le sol, et en **rouge** était peint le plafond. Nous nous approchâmes du lit à baldaquin, orné de tentures de **satin rouge**. Mais… il n'y avait pas de matelas ! Un étrange crochet en fer était fixé au mur. Un dentier flottait dans un verre d'eau : le comte Vlad avait des canines drôlement pointues !

Puis je m'aperçus qu'une coupe de cristal était posée sur la table de chevet, remplie d'un liquide rouge. Du *SANG* ?

– JE M'ÉVANOUIS ! annonçai-je.

REGARDEZ, LÀ !

Un voile noir descendit sur mes yeux. Combien de temps restai-je évanoui ? Je ne sais... Je fus réveillé par de nouveaux bruits provenant du donjon. Puis le silence revint.

Téa jeta un coup d'œil par la fenêtre.

– C'est l'aube !

– Voilà le bossu ! chuchota Benjamin, qui était resté dans le couloir.

Celui-ci arriva en sautillant, se frottant les pattes avec satisfaction.

– **TOUTESTPRÊTPOURLESINVITÉS ?**

Téa répondit en notre nom à tous :

– Tout est prêt !

Le bossu étouffa un bâillement.

– **BIEN, ALORSDANSCECASJEPEUXALLERME- COUCHER. DEMAINILFAUTSELEVERTRÈSTÔT, ÀQUATREHEURESDEL'APRÈSMIDI !**

Les heures s'écoulèrent. Si les trois étranges habitants du château dormaient, nous, nous n'avions pas sommeil ! Traînant les pattes, abattus, nous longions le couloir.

Téa murmurait :

– Savoir où est Traquenard... Quand je pense que nous l'avions retrouvé...

C'est Benjamin qui aperçut le premier la tache rouge.

– Regardez, là ! balbutia-t-il en désignant une flaque qui s'élargissait à vue d'œil dans le couloir. Le liquide s'écoulait par-dessous une porte close. Par la serrure filtrait un rayon de lumière. Nous nous approchâmes sur la pointe des pattes.

– Chut ! Doucement ! souffla Téa.

Soudain la porte s'ouvrit sur un spectacle épouvantable.

Au centre de la pièce se tenait Traquenard, couvert de **SANG** de la tête aux pattes !

La tache rouge s'élargissait autour de lui sur le dallage.

– **Tra... Traquenard...** marmonnai-je.

Il agita la patte en éclaboussant tout de liquide rouge.

– Vous n'êtes donc pas partis ?
Vous avez bien fait :
ce soir, menu de gala !
Puis il se retourna et,
tout en sifflotant,
sortit du four une
casserole fumante.
Je regardai autour
de moi : nous
étions dans
les cuisines
du château.

DES BOULETTES
DE PIRANHA

– Ça va, Traquenard ? demanda Téa.

– Ça va mal, très mal, je suis en retard sur tout mon programme ! soupira mon cousin. J'ai encore les chenilles à **éplucher**, les sangsues à **rôtir**, les puces à faire **frire**. Heureusement que vous êtes là, vous allez pouvoir m'aider !

– Mais que t'est-il arrivé ?

– Oh, je me suis renversé dessus une grosse boîte de tomates en conserve. Mais ce n'est pas grave, j'en ai d'autres dans le garde-manger. Bon, voyons voir. Geronimo, peux-tu plonger les filets de **requin** dans l'eau bouillante et faire frire les boulettes de **piranha ?** Attention aux piranhas, il en reste peut-être quelques-uns de vivants. **Gare aux doigts !**

Je l'interrompis, angoissé :

– Traquenard, heureusement que nous t'avons retrouvé. Sais-tu ce que nous avons découvert ? Ces Von Sourizek sont des gens très bizarres, ils dorment le jour et sont éveillés la nuit. D'ailleurs, on ne comprend pas comment ils font pour dormir, parce que leurs lits n'ont pas de matelas ! dis-je en **FRISSONNANT**. Et puis il y a une énorme chauve-souris qui sort la nuit...

Téa poursuivit :

– C'est vrai, Traquenard, il faut partir, vite, tant qu'il en est encore temps ! Traquenard continuait à cuisiner, comme si de rien n'était.

– Bizarres ? Vous dites que ces trois-là sont bizarres ? Mais nous sommes tous bizarres en ce monde. Prenez Geronimo : vous le trouvez normal ? ricana-t-il. Bon, si l'on passait aux choses sérieuses ? Qui se dévoue pour aller attraper quelques **guêpes** ? Je dois préparer un coulis.

– Un coulis de guêpes ? demandai-je, effaré. **Tu peux faire une croix dessus !**

– Tss tss tss... murmura-t-il. Pour une fois, tu as raison. Les guêpes, c'est trop banal : un sorbet aux **mouches** serait plus raffiné, servi avec une rondelle de champignon ! Je suis sûr qu'on trouve de beaux petits champignons à la cave, près du tas de charbon...

LE SECRET
DU NOBLERAT

Il se dirigea vers l'escalier en colimaçon qui conduisait aux souterrains du château. La petite porte de bois se referma derrière lui.

– **Ça suffit, on s'en va !** dis-je en prenant Benjamin par la patte.

– D'accord, on s'en va ! répéta ma sœur en écho. De toute façon, j'ai assez de photos pour mon reportage, conclut-elle en soupesant son appareil. J'en prends juste une dernière de la cheminée, avec la marmite de cuivre au premier plan.

Mais soudain...

scouiiiiiit !

Un hurlement terrifiant nous hérissa le poil. Je courus vers la porte du souterrain et l'ouvris.

– Traquenard ! Traquenard, que se passe-t-il ?

Mon cousin remonta les marches en courant, couvert de suie de la pointe des oreilles à la pointe de la queue.

– Je l'ai, je l'ai ! s'écria-t-il, et ses moustaches vibraient d'excitation. Il improvisa une gigue sur la dernière marche, en brandissant un coffret de bois frappé des initiales 𝕿. 𝖁. 𝕿.

– Je l'ai trouvé par hasard. Il était dans la cave, sous un sac de charbon. Regardez : 𝕿.𝖁.𝕿., ce sont les initiales de 𝕿𝖗𝖎𝖕 𝖁𝖔𝖓 𝕿𝖗𝖆𝖐𝖊𝖓 !

Ému, il ouvrit le coffret et en sortit une miniature qui représentait une souris potelée au museau rusé et aux moustaches frisées. En effet, il y avait une vague ressemblance avec mon cousin. Traquenard fouilla dans le coffret.

– Un parchemin ! s'exclama-t-il en le déroulant. Écoutez ça ! Il s'éclaircit la voix et déclama, d'un ton solennel :

– *En l'an dixièmesixièmecinquième de l'Ère du Rat, sur les terres du Grand-Duché de Souristerie, sous le Règne du Très Excellent,*

Très Noble et Très Magnificent Grand-Duc Crémeux de Chabichou, il est conféré le titre de Noblerat...

Traquenard s'interrompit.

– **Noblerat ?** Dommage, je m'attendais à mieux, un titre de baron, de comte, de duc...

Il reprit sa lecture.

– *... il est conféré le titre de Noblerat à Trip Von Traken, connu dans tout le Grand-Duché...*

Traquenard était au comble de l'émotion.

– Vous avez entendu ? Dans tout le Grand-Duché, hé hé hé !

– *... Trip Von Traken, pour son art délicat...*

Traquenard s'arrêta un instant, soupira, heureux, puis poursuivit sa lecture.

– *... il est donc conféré le titre de Noblerat à Trip Von Traken, pour son talent supérieur de...*

Je vis Traquenard pâlir, blêmir, chanceler.

– Eh bien, continue ! Lis la suite ! insistâmes-nous.

Mon cousin enroula le parchemin, s'assit sur la marche et épongea la sueur qui coulait de ses moustaches.

– **Tu ne lis pas la suite ?** Ça devenait intéressant ! Pourquoi est-il devenu Noblerat ? demanda ma sœur, en photographiant le blason en gros plan.

Traquenard rangea le document dans le coffret.

– Rien, rien. Je vous lirai ça plus tard.

Alors, qui met la table ?

Téa loucha vers le parchemin.

– Allez, dis-nous ce qui est écrit !

Traquenard serra le coffret.

– **Bas les pattes !** Pas touche !

Téa fut plus rapide et le lui subtilisa.

– Fais voir ! Après tout, tes ancêtres sont aussi les miens !
cria-t-elle.

Puis elle lut à voix haute :

– *... pour ses mérites de
décorateur de pots de chambre* ?

Traquenard éclata en sanglots, en tournant son
museau vers le mur.

– Quelle déception ! Promettez-moi que vous
ne le direz à personne !

Téa essaya de le consoler.

– Après tout, 𝕿𝖗𝖎𝖕 𝖁𝖔𝖓 𝕿𝖗𝖆𝖐𝖊𝖓 était vraiment noble !

Traquenard sanglota, encore plus désespéré.

– Peut-être, mais à qui vais-je bien pouvoir
raconter cela ? *Vous imaginez ce que diraient mes amis de Sourisia !*

LES CARROSSES ARRIVENT !

Sur ces entrefaites, la porte de la cuisine s'ouvrit et le bossu entra en sautillant.

– **LEPREMIERINVITÉARRIVE !**

Il se mit à la fenêtre et observa un carrosse qui montait vers le château.

– **QUELMALOTRU, ÇANESEFAITPASD'ARRIVER-ENAVANCEÀUNBAL !** cria-t-il en courant à la porte.

– Et maintenant, qu'est-ce qu'on fait ? demandai-je.

Traquenard essuya ses larmes.

– Allez, je vais prendre mon courage à deux pattes et servir à table. S'il vous plaît, restez pour m'aider jusqu'à la fin du bal. Après, nous partirons tous ensemble.

S'il vous plaît, s'il vous plaît, s'il vous plaît !

Téa, Benjamin et moi, nous soupirâmes.

– D'accord, cousin, nous restons. Mais, dès que le bal est fini, on part... Promis ?

– Parole de rongeur ! couina Traquenard.

Au même moment, j'entendis une voix féminine qui criait :

_ Ma robe ! Où est passée ma femme de chambre ?

C'était la comtesse Estrella.

Téa se hâta d'aller la rejoindre, le museau renfrogné, tandis que Benjamin et moi nous dirigions vers le salon.

La porte s'ouvrit et le bossu déclama à tue-tête :

– **LEMARQUISDESANGSUCRÉ, LABARONNE-DEVOLPLANÉ !**

Cependant, d'autres carrosses pénétraient dans la cour du château. Les roues grinçaient sur les pavés disjoints.

Le bossu s'égosillait, annonçant l'un après l'autre des invités de plus en plus illustres.

**— LEGRANDDUCD'AILED'ARGENT,
LEPRINCED'ENVOLBISCORNU,
LECOMTEDEPIQUÉCRASHÉ,
LEBARONDEGLOBULEROUGE,
LEMARQUISHECTORPLASME,
LECOMTENEZUTUSVANDERNEZEN !**

Les invités, vêtus de capes de soie qui leur descendaient jusqu'aux pattes, glissaient, majestueux, dans le salon où les accueillait le comte 𝔙𝔬𝔫 𝔖𝔬𝔲𝔯𝔦𝔷𝔢𝔨, toujours impassible.

Mon
héros !

Soudain tous les invités se tournèrent vers l'escalier de marbre qui menait à l'étage. En haut des marches,

enveloppée dans un nuage de tulle rouge vif, venait de paraître la comtesse Estrella. J'entendis un soupir et me retournai : c'était Traquenard, qui apportait une marmite de soupe aux piranhas. Mon cousin n'avait d'yeux que pour elle, la comtesse !

Estrella descendit la première marche d'un air alangui, laissant entrevoir une gracieuse cheville. Coquette, elle sourit et lança un baiser à ses admirateurs.

Traquenard murmura :

– Quelle classe, quel charme !

Estrella descendit une autre marche.

C'est alors qu'elle glissa : elle resta un instant en équilibre au sommet de l'escalier avant de commencer à rouler vers le bas.

Pendant une fraction de seconde, une grimace de satisfaction passa sur le museau de Téa. Traquenard laissa tomber sa marmite... et j'eus ainsi l'occasion de prendre un bain de pattes dans de la soupe aux piranhas bouillante.

– **Aaaaaïe !** hurlai-je.

Mon cousin bondit en avant, plus rapide qu'un rugbyman.

– **HOP HOP HOP !** cria Traquenard, en montant l'escalier quatre à quatre.

Nezutus Van der Nezen, le fiancé d'Estrella, et d'autres jeunes aristocrates tentèrent de le suivre, mais mon cousin les avait tous devancés. Il tendit la patte et attrapa Estrella au vol. La comtesse le regarda, éblouie.

– **Mon HÉROS !** ♥ ♥ ♥ ♥ ♥

Traquenard se fit modeste.

– Ce n'est rien, rien du tout, une broutille, le train-train quotidien. J'ai fait bien pis, enfin, bien mieux…

Je m'aperçus que le pauvre Nezutus s'était réfugié dans un coin et les regardait d'un air mélancolique.

82

MAIS QUI EST-CE DONC ?

Les aristocrates commentaient l'épisode à voix basse, jaloux du succès de Traquenard, qui était retourné à la cuisine en jubilant.

– Je leur ai fait mordre la poussière, à tous ces nobliaux !

Puis il se remit à cuisiner, découpant un petit morceau de fromage avec un énorme hachoir :

ZAC, ZAC ZAC, ZAC ZAC ZAC !

On entendit alors la comtesse Estrella roucouler :

– Ouvrir le bal ? Chers amis, je regrette, mais j'ouvrirai le bal en dansant avec le héros qui m'a sauvé la vie !

D'un même geste, Traquenard se débarrassa de son tablier et de sa toque de cuisinier, et fit voler au loin son torchon.

Traquenard découpait un petit morceau de fromage…

Puis il s'inclina jusqu'à balayer le sol de ses moustaches.

– Comtesse, vous me voyez honoré...

Les deux danseurs tournoyaient tandis que les violons jouaient une valse romantique. Mon cousin murmurait Dieu sait quoi à l'oreille d'Estrella qui riait d'un air charmant. Cependant, les rumeurs allaient bon train :

– Mais qui est-ce donc ? C'est un champion de rugby ? Non... C'est un agent secret ? Non... C'est un noble déchu ? Non... C'est le cuisinier du château !

Téa fulminait.

– Cette chipie ! Les hommes sont d'une naïveté...

Benjamin, lui, regardait avec admiration le couple qui virevoltait sur la piste de danse.

– Oncle Traquenard danse rudement bien la valse !

Je feignais l'indifférence, mais, je dois l'avouer, j'enviais mon cousin : j'aurais bien aimé être à sa place !

Comtesse… Vous me voyez très honoré…

… il s'inclina jusqu'à balayer le sol de ses moustaches…

Pizzas
AUX FOURMIS ROUGES

Ding, ding, ding, ding, ding, ding, ding, ding, ding, ding, ding, ding...

Je comptai douze coups : minuit !

Je humai l'air.

– Pouah ! Quelle puanteur !

Une *fumée noire* sortait de la cuisine. J'adressai des signes frénétiques à mon cousin : il comprit aussitôt, fit une profonde révérence, baisa la patte d'Estrella et disparut en un éclair.

– Mais où est-il parti ? Pourquoi s'est-il enfui ? Comme ce rongeur est mystérieux ! cancanaient les invités, intrigués.

Les violonistes recommencèrent à jouer, tandis
que les convives commentaient avec animation
les piquants événements de la soirée.
Je me précipitai à la cuisine.
Traquenard avait ouvert la porte
du four. Une fumée noirâtre
s'en échappait.
– La soupe aux
piranhas a fini par
terre à cause de
Geronimo ! couina-
t-il. La tourte aux
sangsues a brûlé :
c'est la faute de
Geronimo qui ne
m'a pas prévenu à
temps ! Et le dessert
aussi est raté : ce
devait être un sorbet
aux mouches, mais
elles se sont envolées !

Bien entendu, c'est la faute de Geronimo… dit-il pour finir, en désignant une petite cage vide.

J'étais rouge de colère.

– Tu racontes n'importe quoi ! Je n'y suis pour rien ! Pourquoi veux-tu toujours que ce soit ma faute ?

Téa tenta de nous apaiser :

– Ce n'est pas grave !

– **Ce n'est pas grave ?** Va donc dire aux trois cent quarante-sept invités que, ce soir, au dîner, ils n'auront que leurs ongles à ronger !

chicota Traquenard. Qu'est-ce que je peux faire ? Tout ce qu'il reste en cuisine, c'est de la sauce tomate !

Puis il observa distraitement un tonnelet qui portait l'inscription **FARINE** et une amphore pleine d'huile d'olive.

– Une seconde : de la sauce tomate, de la farine, de l'huile d'olive. Il y a tout ce qu'il faut pour faire des **PIZZAS** !

– Il manque la mozzarella, tonton ! remarqua Benjamin.

– On s'en passera, mon neveu ! Je vais improviser. Faites chauffer le four !

On va les épater !

Le four était déjà brûlant, et nous y enfournâmes en un temps record des piles de pizzas, tandis que Traquenard, en sifflotant joyeusement, faisait voler les boules de pâte en l'air, tel un jongleur. J'allai contrôler la situation dans la salle de bal.

Les invités avaient l'air affamé d'une souris qui a dansé pendant des heures et qui a l'estomac dans les talons. Assis autour de la table, ils tambourinaient nerveusement sur la nappe, jetant des regards pleins d'espoir en direction du couloir qui menait à la cuisine.

Je m'inclinai cérémonieusement devant le comte Vlad.

– Le dîner va être servi !

Au même moment, la porte s'ouvrit et un chariot croulant sous les pizzas fit son entrée.

Les invités se léchèrent les moustaches.

– Pizzas aux fourmis rouges, pizzas aux vers de terre piquants ! annonçait Benjamin.

– Des PIZZAS ? Je n'en avais encore jamais mangé… mais c'est exquis ! Tels étaient les commentaires qui fusaient de toutes parts.

– Mais qui a eu cette idée ? Qui les a préparées ? demandaient-ils tous.

… les invités avaient l'air affamé…

LA BLAGUE QUI MARCHE TOUJOURS

Tout en servant les pizzas, je tendis l'oreille : il me sembla entendre, dans le lointain, une pulsation rythmée, entraînante, à la fois bruit et musique. **Cela venait de la cuisine !**

De nombreux invités s'étaient tus et, comme moi, écoutaient cette étrange mélodie.

Je longeai le couloir, curieux de connaître l'origine

de ce bruit, et poussai la porte de la cuisine. Traquenard, debout sur l'évier, tapait avec une louche sur une batterie de casseroles et produisait des bor-

borygmes en ouvrant et refermant avec sa queue le robinet sur un tempo de ROCK. De son côté, Benjamin martelait la poubelle en métal avec un balai et une grosse fourchette.

Tous les invités se retrouvèrent dans les vastes cuisines du château et se mirent à danser. Au bout d'une demi-heure, Traquenard arrêta de jouer.

– Continue ! dit-il à Benjamin, pendant que Téa prenait photo sur photo.

Le comte 𝔙𝔩𝔞𝔡 était le seul à ne pas danser et à ne pas s'amuser.

Sombre, comme à son habitude, il regardait d'un air mélancolique ses invités qui faisaient la fête.

Traquenard ricana :

– Je vais le mettre de bonne humeur. J'ai toute une provision de plaisanteries irrésistibles, en particulier

La Blague Qui Marche Toujours !

Il s'approcha du comte 𝔙𝔬𝔫 𝔖𝔬𝔲𝔯𝔦𝔷𝔢𝔨 et murmura :

– Connaissez-vous la dernière blague sur les chauves-souris ?

Un silence de mort tomba soudain dans la cuisine. Tous les invités fixèrent Traquenard, menaçants.

Il chuchota sa plaisanterie à l'oreille du comte, pendant un moment qui me parut interminable.

𝔙𝔬𝔫 𝔖𝔬𝔲𝔯𝔦𝔷𝔢𝔨 resta d'abord impassible quelques secondes, puis ses moustaches frémirent, et il émit de drôles de gargouillis, comme s'il se gargarisait. Enfin il se roula par terre en hurlant de rire et en se tenant le ventre à deux pattes.

Les invités l'observaient, ébahis, puis éclatèrent de rire sous le regard triomphant de Traquenard.

Hé hé hééé !

– Je vous l'avais bien dit ! Elle marche toujours !

LA REVANCHE
DE NEZUTUS
VAN DER NEZEN

La comtesse, très agitée, se frayait un chemin parmi les invités.

– **Où est-il ? Où est-il ?** chicotait-elle.

Elle aperçut mon cousin.

– Je vous retrouve enfin. Mais que faites-vous aux cuisines ?

Aussitôt Traquenard lâcha sa louche et courut vers Estrella.

– Comtesse, comtesse ! couina-t-il en s'agenouillant devant elle pour lui faire un baise-patte. Sous ce tablier, **mon cœur se consume d'amour pour vous !**

Elle battit des cils, avec coquetterie. Puis tous deux s'isolèrent dans un coin de la cuisine, où ils se susurrèrent de tendres promesses.

– J'admire la noblesse de vos sentiments !

– **Hélas**, les sentiments sont tout ce qu'il y a de noble en moi, murmura mon cousin, car je n'ai ni château, ni terres, ni titres nobiliaires à vous offrir. Mais sachez que mon cœur, lui, est tout à vous !

Et pour toujours !

Elle fondait à vue d'œil.

– Ah, Traquenard, que m'importe si vous n'êtes point noble. C'est votre caractère qui est attachant, vous êtes un rongeur à nul autre pareil !

Et pour toujours ! Et pour toujours ! Et pour toujours !

𝕹𝖊𝖟𝖚𝖙𝖚𝖘 𝖁𝖆𝖓 𝖉𝖊𝖗 𝕹𝖊𝖟𝖊𝖓, le fiancé officiel d'Estrella, se racla la gorge et fit un timide pas en avant, comme pour rappeler qu'il existait, lui aussi !

La comtesse feignit de ne pas le voir.

Traquenard avait les yeux brillants d'émotion :
– Comtesse… puis-je vous appeler Estrella ?

Puis-je espérer… Me serait-il permis de demander… votre patte ?

Un sourire de bonheur illumina le visage de la comtesse et, dans un élan de joie, elle ouvrit sa cape pour l'embrasser. Deux immenses ailes noires se déployèrent alors.

– **AAAAAAAH** !

hurla mon cousin, qui blêmit et s'évanouit.
Je me précipitai pour le ranimer.

Lorsque Traquenard revint à lui, il murmura :
– **Quel cauchemar.** J'ai rêvé qu'une chauve-souris...
Puis il vit la comtesse.

– **AAAAAAAH !**

hurla-t-il de nouveau, en se cachant derrière moi.
La comtesse fondit en larmes et se jeta à ses pattes.
– Mon bien-aimé, ne m'abandonnez point, je vous en conjure !
Mais il fut inébranlable.
– Tout s'éclaire maintenant. Vous appartenez à une famille de rongeurs ailés : c'est pour cela que vous raffolez des insectes !
Elle pleurait, désespérée.
– Mais qu'y a-t-il de mal à aimer le coulis de **moustiques** ? Et les **SANGSUES** au **SANG** ?
Mon cousin repartait à la charge, implacable :
– Justement, c'est le **SANG**, comtesse ! Vous en buvez des litres ! dit-il en désignant une carafe remplie d'un liquide rouge.

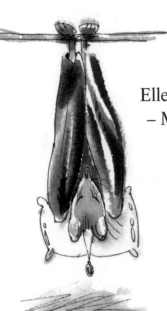

Elle s'emporta :

– Mais que me parlez-vous de **SANG** ? C'est du jus de tomate ! Sur ça aussi, vous trouvez à redire ?

Il secoua la tête.

– Nous sommes trop différents. Vous dormez le jour et sortez la nuit. Et, si ça se trouve, vous dormez même avec la tête en bas !

La comtesse se vexa :

– C'est excellent pour la circulation !

– Rien à faire, ma chérie, je regrette, mais il vaut mieux en rester là. Vous êtes peut-être noble, mais je ne fréquente pas les **RONGEURS NOCTURNES !** balbutia Traquenard.

Estrella se drapa dans sa cape et, sanglotant, se dirigea vers la porte.

𝕹𝖊𝖟𝖚𝖙𝖚𝖘 𝖁𝖆𝖓 𝖉𝖊𝖗 𝕹𝖊𝖟𝖊𝖓 la rattrapa et se jeta à ses pattes, en baisant l'ourlet de sa cape.

– Mon adorée, MON PETIT MOUSTIQUE, je n'ai jamais cessé de t'aimer, tu es unique, je t'aime telle que tu es ! murmura-t-il avec passion.

Ils déployèrent leurs ailes et s'éloignèrent dans le couloir, tendrement, **l'un contre l'autre**.

LE DERNIER MYSTÈRE

Les invités ne s'étaient aperçus de rien et conti-nuaient à danser. Certains avaient déployé leurs ailes et voletaient de-ci de-là sur un rythme de **ROCK !** Tout était clair à présent. Le sang n'était que du jus de tomate, les crochets étaient utilisés par les chauves-souris pour dormir la tête en bas, et les maîtres de maison étaient friands d'insectes parce que telle est la nourriture des pipistrelles… **MAIS L'AIL ?** Rien de plus simple : le comte était allergique à l'ail ! Il restait un mystère à éclaircir : ce bruit étrange qu'on entendait près du donjon. Justement, il venait de retentir une fois de plus, et je me précipitai vers la porte de la tour. J'aperçus le bossu qui ajustait une vieille paire de lunettes de pilote tout en montant l'escalier quatre à quatre. Puis il sautilla vers un énorme avion noir, dont les ailes ressemblaient à celles des chauves-souris. 𝔙𝔬𝔫 𝔖𝔬𝔲𝔯𝔦𝔷𝔢𝔨 l'attendait à bord et riait encore en mettant un casque d'aviateur en cuir.

Le bossu se retourna et me salua en agitant la patte.

**– NOTREAVIONVOUSPLAÎT ? NOUSL'AVONS-
CONSTRUITPARCEQUELECOMTEADES-
RHUMATISMESETN'ARRIVEPLUSÀ-
VOLER...** cria-t-il dans le vent.

Puis l'avion décolla.

L'Histoire
La Plus Triste
Que Je Connaisse

L'aurore approchait, le soleil allait bientôt se lever. Je redescendis l'escalier et traversai la salle de bal. Partout traînaient des verres avec des traces de jus de tomate, des restes de pizzas grignotées, des vases de fleurs renversés...

Les invités commençaient à partir, mais nous en trouvâmes un qui dormait déjà, suspendu la tête en bas dans une armoire.

– Ça va être un reportage au poil : les photos du bal sont PHÉ-NO-MÉ-NA-LES ! s'exclama Téa, ravie, en prenant encore quelques clichés.

– Le prochain train part à sept heures, dis-je en regardant ma montre.

– Dommage. Je commençais à m'attacher à ce château, à sa poussière, à ses toiles d'araignée vieilles de plusieurs siècles ! soupira Benjamin.

Nous longeâmes la galerie du château. Au moment où nous arrivions devant la porte tendue de velours rouge, nous entendîmes des éclats de rire ! Nous ouvrîmes la porte et découvrîmes le comte 𝕯𝖔𝖓 𝖘𝖔𝖚𝖗𝖎𝖟𝖊𝖐 qui riait tout seul, effondré dans un fauteuil.

– Nous voulions vous saluer avant de partir... dis-je, mais je m'aperçus que le comte était incapable de me répondre :

il n'arrivait pas à s'arrêter de rire !

– Qu'est-ce qu'on fait, Traquenard ? murmurai-je, inquiet. La blague que tu lui as racontée fait encore de l'effet. Je t'en supplie, arrête-le !

Traquenard réfléchit un moment, puis répondit d'un air professionnel :

– J'ai déjà vu des cas semblables. Sur certains sujets, **La Blague Qui Marche Toujours** a des effets dévastateurs. Je sais quoi faire !

Il s'approcha du comte, puis lui murmura quelque chose à l'oreille, pendant un moment qui me parut interminable. **Von Sourizek** arrêta de rire et se mit à pleurer à chaudes larmes.

– **Qu'as-tu fait ? Que lui as-tu dit ?** demandâmes-nous, intrigués, à mon cousin. Il glissa les pouces sous ses bretelles.

– Je lui ai raconté **L'Histoire La Plus Triste Que Je Connaisse**. Ça ne rate jamais ! Il va pleurer une demi-heure, puis ça lui passera !

Nous descendîmes les marches, précédés du bossu. Après avoir franchi la porte, nous nous engageâmes sur le sentier. Je me retournai pour un dernier au revoir. Sur le seuil, le bossu agitait un grand mouchoir. Il ricana dans ses moustaches et cria, en détachant bien les mots cette fois :

– AU REVOIR, REVENEZ VITE, CE FUT UN PLAISIR DE FAIRE VOTRE CON-NAISSANCE !

Je restai bouche bée.

– Quoi ? Quoooii ? Mais alors... Et pourquoi avant... Vous en croyez vos oreilles, vous aussi ? demandai-je à mes compagnons.

Ils ne m'entendirent pas : ils étaient déjà loin devant. Je me retournai de nouveau vers le bossu pour obtenir des explications, mais il avait disparu dans le brouillard transourisique.

PROCHAIN ARRÊT : SOURISIA !

Le voyage de retour à Sourisia nous parut plus long que l'aller.

Téa, euphorique, dictait au magnétophone son article sur les châteaux transourisiens, Traquenard était singulièrement silencieux, tandis que Benjamin, épuisé par toutes ces émotions, dormait sur mes genoux, blotti dans mon écharpe.

Je regardais par la fenêtre.

– Que c'est bon de rentrer chez soi ! Avant quelques années, c'est promis,

PLUS DE VOYAGES !

L'ARBRE
GÉNIALOÏDE

Enfin à la maison ! Anéanti, je me glissai sous les couvertures. Mais, à minuit, je me réveillai en sursaut : quelqu'un sonnait à la porte. J'enfilai ma robe de chambre et allai ouvrir en traînant des pattes.

– Qui est-ce ? Qu'est-ce que vous voulez à une heure pareille ?

– *Je suis la voix de ta conscienceeee...*

me répondit une voix lugubre.

Un fantôme ? Un fantôme de Transourisie ?

Je pris mon courage à deux pattes et regardai par le judas : c'était Traquenard qui me faisait une farce.

– Je voulais te faire peur ! ricana-t-il.

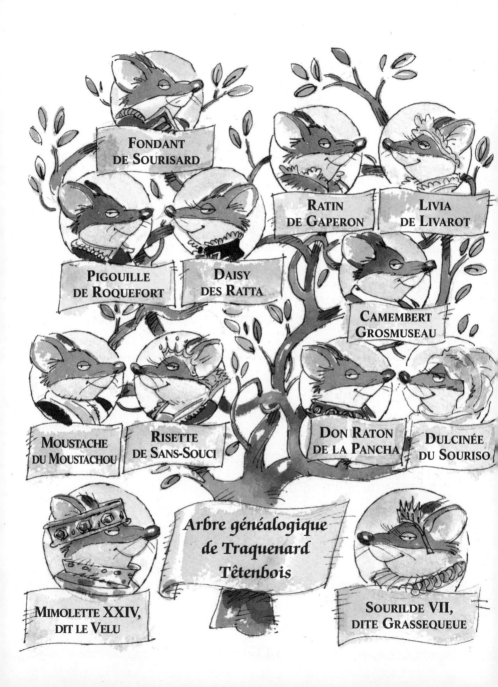

– C'est réussi ! soupirai-je en ouvrant la porte.
– Tu connais la nouvelle ? L'agence s'était trompée, je ne descends pas des *Von Traken*, mais (probablement) de Moustache du Moustachou et de Risette de Sans-Souci. Regarde, j'ai le truc, là, mon *arbre génialoïde !*
– Pas génialoïde : **généalogique** ! soupirai-je.
– Mon ancêtre, dit Traquenard, est un fameux explorateur, il a parcouru en tous sens le désert du Souhara... C'est là que je vais maintenant. Au fait, comme **mes** ancêtres sont aussi **tes** ancêtres, je t'ai fait envoyer la facture pour le machin, là, la plante, enfin **l'arbre** ! Et si on partait ensemble, comme ça on partagerait les dépenses du voyage ? Le prochain train part dans une demi-heure...
Je lui claquai la porte au museau en criant :

HORS–DE–MA–VUE !

J'avais l'impression de m'être absenté un mois…

DE RETOUR
AU BUREAU

Le lendemain matin, je me rendis au bureau.
Coups de téléphone, fax, e-mails... j'avais
l'impression de m'être absenté un mois, pas
seulement quelques jours.
À un moment, ma sœur entra comme une
tornade.
– **Regarde-moi ça !** s'écria-t-elle en
jetant une poignée de photos sur mon bureau.
On voit le château. Les escaliers, les cours, les
armures, les toiles d'araignée. Mais pas de trace
des invités ! Ces vilains museaux... J'aimerais
savoir comment ils se sont débrouillés pour ne
pas être sur les photos !
J'examinai les photos une à une avec une loupe.

– En effet, reconnus-je, pas de trace du bossu, du comte, de la comtesse ou des invités. On dirait que le château est à l'abandon !

– Je vais devoir renoncer à mon reportage sur la Transourisie et ses vampires ! marmonna Téa.

Je souris dans mes moustaches.

– Peut-être les légendes ont-elles raison : les châteaux de Transourisie sont hantés par des fantômes, m'esclaffai-je. Quoi qu'il en soit, fantômes ou pas fantômes, pas de scoop pour notre journal, mais en compensation nous avons retrouvé Traquenard !

Ma sœur changea de ton.

Elle appuya les coudes sur le bureau et murmura :

– À propos de Traquenard, je ne t'ai jamais parlé du Souhara ?

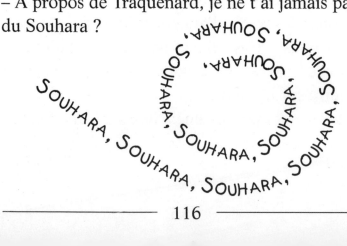

SOUHARA,
SOUHARA, SOUHARA !

– Le Souhara ? C'est quoi, cette histoire de Souhara ?

– Eh bien, j'ai discuté avec Traquenard hier soir. Il m'a donné une idée : un reportage exclusif sur les secrets des oasis souhariennes, avec une interview du chef des SOUHAREG, les mystérieux RATS BLEUS. Je vois déjà le titre : SOUHARA, SOUHARA, SOUHARA !

– **QUOI ?** D'abord tu m'emmènes en Transourisie, la région la plus froide de l'île, où le brouillard est plus épais que la cancoillotte, tellement qu'on peut le tartiner sur du pain ! Et maintenant tu me proposes un voyage au Souhara,

Splatt !

la région la plus chaude de l'île, où il fait **50 degrés** à l'ombre toute l'année, où tu peux faire cuire un œuf sur le crâne d'une souris, où l'on trouve des scorpions géants longs comme la queue d'un rat !

Ma sœur haussa les épaules.

– Oh, tu en fais des histoires ! Si tu ne viens pas, je proposerai le reportage à la *Gazette du Rat !* Tu as cinq minutes pour te décider, conclut-elle en sortant de mon bureau.

Une fois seul, je réfléchis cinq minutes. Ma sœur avait du flair, ça, je ne pouvais pas le nier. Je voyais déjà les titres sur toute la une de l'*Écho du Rongeur...*

L'ÉCHO DU RONGEUR

DOSSIER
Vérités et mensonges sur les *rats bleus*

SANTÉ
Les secrets des rats bleus pour survivre par 50 degrés à l'ombre

CUISINE
Recettes exotiques au fromage piquant des Souareg

Par notre envoyée spéciale *Téa Stilton* : Les mystères des rats bleus !

VACANCES
Voyages organisés dans les oasis souhariennes

AVENTURE
Stage de survie dans les dunes

« UN SCORPION GÉANT M'A PIQUÉ LA QUEUE MAIS J'AI SURVÉCU ! »
Le témoignage du chef des Souareg

GROUPE ÉDITORIAL STILTON

TABLE DES MATIÈRES

Geronimo Stilton

DANS LA MÊME COLLECTION

L'Écho du rongeur
1. Entrée
2. Imprimerie (où l'on imprime les livres et le journal)
3. Administration
4. Rédaction (où travaillent les rédacteurs, les maquettistes et les illustrateurs)
5. Bureau de Geronimo Stilton
6. Piste d'atterrissage pour hélicoptère

Sourisia, la ville des Souris

1. Zone industrielle de Sourisia
2. Usine de fromages
3. Aéroport
4. Télévision et radio
5. Marché aux fromages
6. Marché aux poissons
7. Hôtel de ville
8. Château de Snobinailles
9. Sept collines de Sourisia
10. Gare
11. Centre commercial
12. Cinéma
13. Gymnase
14. Salle de concert
15. Place de la Pierre-qui-Chante
16. Théâtre Tortillon
17. Grand Hôtel
18. Hôpital
19. Jardin botanique
20. Bazar des Puces qui boitent
21. Parking
22. Musée d'art moderne
23. Université et bibliothèque
24. La Gazette du rat
25. L'Écho du rongeur
26. Maison de Traquenard
27. Quartier de la mode
28. Restaurant du Fromage d'Or
29. Centre pour la Protection de la mer et de l'environnement
30. Capitainerie du port
31. Stade
32. Terrain de golf
33. Piscine
34. Tennis
35. Parc d'attractions
36. Maison de Geronimo Stilton
37. Quartier des antiquaires
38. Librairie
39. Chantiers navals
40. Maison de Téa
41. Port
42. Phare
43. Statue de la Liberté

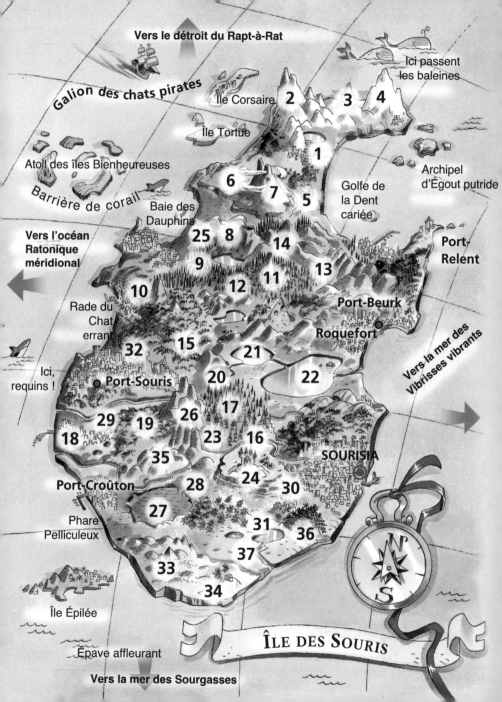

Île des Souris

Au revoir, chers amis rongeurs, et à bientôt
pour de nouvelles aventures.
Des aventures au poil, parole de Stilton, de...

Geronimo Stilton